Tá gach saghas a...
...chasfaí ar p...
páirceanna ag...
dathannach...
hainmhithe...
an maisiú a shár...
ar na pá...
na tuismitheo... léann na...

Rinne an t-údar, Edwina Ridd... an dearadh grafach i gColáiste Priméireachta Londan agus ina dhiaidh sin chaith sí deich mbliana mar shaor-mhaisitheoir. Anois agus beirt leanaí óga aici caitheann sí bunús a cuid ama ag plé le leabhair do phaistí. Tá roinnt dá cuid leabhar le fáil i nGaeilge, i.e. **100 Focal Tosaigh** agus **Mo Chéad Naíonra.**

Do Dhonncha

ISBN 1-85791-263-2

Christine Warner a rinne an pheannaireacht
Printset & Design Tta a rinne an scannánchló in Éirinn
Dearadh agus obair ealaíne faoi stiúir Debbie McKinnon
Arna chlóbhualadh i Hong Cong ag Kwong Fat Tta

Le ceannach ó Oifig Dhíolta Foilseachán Rialtais,
Sráid Theach Laighean, Baile Átha Cliath 2, nó ó dhíoltóirí leabhar.
Nó tríd an bpost ó:
Rannóg na bhFoilseachán, Oifig an tSoláthair,
4-5 Bóthar Fhearchair, Baile Átha Cliath 2.

An Gúm, 44 Sráid Uí Chonaill Uacht., Baile Átha Cliath 1

Mo chéad leabhar faoi ainmhithe

Edwina Riddell

An Gúm
Baile Átha Cliath

eireaball
puisín
cat
ciseán

fionnadh
lapa
féasóg
cloigín
bainne

cluas
eireaball
madra
srón
iall
teanga
coiléar

coileán
lapa
cnámh

péist chabáiste
beach
cuil
damhán alla
ciaróga
seangáin

féileacán
seilide
bóín Dé
péist

coinín
muc ghuine
toirtís

budragár
pearóid
iasc
umar
hamstar

ulchabhán
gob
éan

iora
péist
nead éiníní
sciathán

eala
góislíní
gé
torbáin
frog

snáthaid mhór
lacha
lachain óga

asal
bó
crúb
lao

moing
capall
caora

cráin
luch
bainbh

coileach
uan
cearc
sicíní